COMPRENDRE
LA PHILOSOPHIE

CLAUDE LE MANCHEC

Saint Augustin

Étude de la pensée

© Comprendre la philosophie.

1 rue Honoré - 93500 Pantin.

ISBN 978-2-7593-1444-7

Dépôt légal : Février 2022

Impression Books on Demand GmbH

In de Tarpen 42

22848 Norderstedt, Allemagne

SOMMAIRE

• Introduction.. 9

• Biographie de Saint Augustin.................................. 13

• Analyse de sa pensée.. 17

• Conclusion.. 31

• Principaux ouvrages... 35

• La citation... 39

• Dans la même collection....................................... 43

INTRODUCTION

La philosophie de Saint Augustin n'est guère séparable de sa pensée théologique. Elle a toutefois connu un retentissement considérable parmi les philosophes occidentaux en raison de l'acuité de ses analyses, notamment sur le temps et la mémoire. Augustin exprime une pensée qui, à la fois, est l'héritière critique des idées de Cicéron et du stoïcisme, et pose quelques-uns des fondements de la théologie chrétienne, à travers sa doctrine de la prédestination.

C'est bien en effet et paradoxalement en Afrique du Nord, aujourd'hui totalement islamisé, que s'est développé dès le IIe siècle puis au Ve siècle, sous l'impulsion de Saint Augustin, le christianisme occidental latin.

Saint Augustin par son rayonnement personnel a donné à la communauté chrétienne de cette région et de cette époque sa personnalité propre, au plan spirituel notamment.

Comme d'autres intellectuels et théologiens chrétiens des premiers âges du christianisme (Basile de Césarée, Grégoire de Naziance...), Augustin concilie dans sa doctrine des héritages venant de la pensée grecque et romaine.

Ecrivain prolixe, il est l'auteur de sermons, de lettres et surtout de deux ouvrages majeurs pour la pensée occidentale : *La Cité de Dieu* et *Les Confessions*. Ce dernier livre, de caractère autobiographique, propose au lecteur le récit des trente-quatre premières années de la vie de cet homme dont les réflexions sur l'existence, la foi et le mode de vie du chrétien ont exercé une influence considérable sur l'Occident chrétien, notamment au Moyen Age. Son œuvre a été en effet sans cesse recopiée, annotée et commentée par des moines et des théologiens qui ont vu en elle une réflexion essentielle. Elle est aussi restée jusqu'à l'époque moderne une source fertile de la pensée philosophique.

L'augustinisme n'est guère compréhensible en dehors de l'autorité des Ecritures saintes et d'une tradition avec laquelle il s'accorde, c'est-à-dire la Révélation. C'est à travers l'expérience de la foi et les questions existentielles que le croyant se pose qu'Augustin mène sa propre réflexion philosophique.

BIOGRAPHIE DE SAINT AUGUSTIN

Saint Augustin est né en 354 ap. J.-C. dans la ville de Thagaste, aujourd'hui Souk-Ahras, en Algérie près de la frontière tunisienne. Ses parents, des notables locaux, sont très pieux mais seule sa mère est chrétienne. Ils veulent pour leur enfant une formation solide et lui permettent de suivre des études grâce auxquelles il devient, en 375, professeur de rhétorique à Carthage puis, en 383, à Milan, ville dans laquelle réside l'empereur.

Augustin forme sa pensée au contact des œuvres de Platon et de Plotin qui l'ouvrent à la question de la transcendance sans laquelle ces philosophies semblent peu compréhensibles. Comme le platonisme, la doctrine d'Augustin invite en effet à un va-et-vient constant entre notre monde et un « royaume » qui est au-delà de notre monde.

En 386, renonçant à une brillante carrière dans l'administration, il se convertit au christianisme et, en 388, revient en Afrique où il se consacre à la vie religieuse.

Il est successivement prêtre, en 391, et évêque d'Hippone (aujourd'hui Annaba), en 395.

De cette date à sa mort en 430, Saint Augustin se consacre à cette fonction pastorale ainsi qu'à la rédaction de son œuvre.

ANALYSE DE
SA PENSÉE

Même si la pensée d'Augustin a beaucoup évolué, il est toutefois possible de dégager quelques lignes de force qui resteraient toutefois peu compréhensibles si l'on négligeait le fait qu'il se considère comme un homme qui a longtemps beaucoup erré en menant une vie dissolue avant sa conversion. Dieu l'a ensuite guidé personnellement vers une vie meilleure et lui a accordé son pardon. Son adhésion au christianisme est la réponse à un appel divin, à une grâce spéciale.

Supériorité du christianisme sur le platonisme

Augustin participe de ce mouvement qui, chez les premiers penseurs chrétiens (Plotin, Amélius, Clément d'Alexandrie, Origène) et les Pères de l'Eglise (Basile de Césarée, Grégoire de Naziance, Grégoire de Nysse, Evagre le Pontique, Athanase), fait du christianisme une philosophie et, mieux, voit dans le christianisme la révélation complète du Logos, c'est-à-dire du discours vrai et de la raison parfaite.

Le *Logos* est, dans cet esprit, la révélation et la manifestation de Dieu (v. l'ouverture de l'*Evangile selon Saint Jean*). Pour Augustin aussi, le christianisme est une philosophie dans la mesure où il est une sagesse vécue, un style de vie et un mode d'être et non pas seulement une exégèse. Il prône, comme d'autres avant lui, une concentration en soi-même, une attention à soi et une attention au présent qui sont en fait une orientation vers la partie supérieure de l'être.

Cette attention suppose la pratique de l'examen de conscience qui est extériorisé par la pratique de l'écriture et passe par la remémoration et la réflexion. De là, son grande prolixité littéraire.

Mais l'essentiel est sa conception du progressant cherchant à atteindre le royaume de Dieu, la contemplation du mystère de Dieu en sa Trinité. Dans son livre *Sur la vraie religion*,

Augustin confronte platonisme et christianisme en soulignant que les images sensibles ont rempli notre âme d'erreurs, qu'il faut guérir celle-ci de cette maladie afin qu'elle puisse découvrir la réalité divine. L'âme doit donc se détourner des choses sensibles pour se fixer sur la Forme immuable et sur la Beauté. Seule l'âme rationnelle peut jouir de la contemplation de l'éternité de Dieu et y trouver la vie éternelle. En outre, pour Augustin, seul le christianisme peut détourner les masses des choses terrestres et les orienter vers les choses spirituelles. Depuis la venue du Christ, l'humanité s'est transformée ; les âmes sont « rentrées en elles-mêmes » ; l'incarnation a abaissé jusqu'au corps humain l'autorité de la Raison divine.

L'ascèse et la contemplation permettent d'atteindre une union à Dieu. Fuir le corps, se tourner vers une réalité transcendante sont des objectifs majeurs de la vie spirituelle.

Une réflexion majeure sur le temps et l'éternité

A l'intérieur de l'expérience existentielle de la foi qu'il narre dans *Les Confessions*, Augustin développe une réflexion de premier plan sur des catégories de pensée appelées plus tard à de prodigieux développements. C'est en effet dans l'analyse psychologique du temps qu'il excelle, offrant ainsi au lecteur les fondements d'une philosophie existentielle importante. Augustin s'étonne : le temps pour nous, qu'est-ce que c'est ? Le passé, le présent et l'avenir, répond-il dans un premier mouvement. Mais le temps passé n'est plus ; l'avenir n'est pas encore ; le présent n'est qu'une limite ponctuelle entre le passé et l'avenir. Où est donc le temps ? Il semblerait qu'il ne soit nulle part. Le penseur s'en remet à Dieu au livre XI des *Confessions*. Il Lui demande son aide pour élucider cette question. Prière et interrogation rationnelle s'épaulent l'une l'autre pour faire avancer la réflexion ; foi et raison ne s'excluent pas ici, bien au contraire !

Cette réflexion sur le temps psychique, sur l'expérience intime du temps, est en réalité une réflexion sur la structure existentielle de la subjectivité ainsi que sur le langage qui permet de dire le temps : « Qu'est-ce donc que le temps ? Qui pourra le dire clairement et en peu de mots ? Qui pourra le saisir même par la pensée, pour traduire cette conception en paroles ? Quoi de plus connu, quoi de plus familièrement présent à nos entretiens, que le temps ? Et quand nous en parlons, nous concevons ce que nous disons ; et nous concevons ce qu'on nous dit quand on nous en parle. Qu'est-ce donc que le temps ? Si personne ne m'interroge, je le sais ; si je veux répondre à cette demande, je l'ignore. Et pourtant j'affirme hardiment, que si rien ne passait, il n'y aurait point de temps passé ; que si rien n'advenait, il n'y aurait point de temps à venir, et que si rien n'était, il n'y aurait point de temps présent. Or, ces deux temps, le passé et l'avenir, comment sont-ils, puisque le passé n'est plus, et que l'avenir n'est pas encore ? Pour le présent, s'il était toujours présent sans voler au passé, il ne serait plus temps ; il serait l'éternité. Si donc le présent, pour être temps, doit s'en aller en passé, comment pouvons-nous dire qu'une chose soit, qui ne peut être qu'à la condition de n'être plus ? Et peut-on dire, en vérité, que le temps soit, sinon parce qu'il tend à n'être pas ? » (*Les Confessions*, Livre XI, chap. 14, trad. Poujoulat et Raulx).

Ce passage justement célèbre montre comment Augustin se débat admirablement avec des problèmes de langage jugé, contradictoirement, fiable et insuffisant. Le penseur part de ce que l'on dit habituellement du temps, des évidences communes, et de là il soumet ces évidences au jugement critique. De cette façon, Augustin souligne le décalage insurmontable entre le verbe de Dieu et la parole imparfaite des hommes :

« Moïse l'a écrit ; il l'a écrit et s'en est allé ; il a passé outre, allant de vous à vous ; et il n'est plus là devant moi. Que n'est-il encore ici-bas ! je m'attacherais à lui, et je le supplierais, et je le conjurerais en votre nom de me dévoiler ces mystères, et j'ouvrirais une oreille aride aux accents de ses lèvres. S'il me répondait dans la langue d'Héber, ce ne serait qu'un vain bruit qui frapperait mon organe, sans faire impression à mon esprit ; s'il me parlait dans la mienne, je l'entendrais ; mais d'où saurais-je qu'il me dirait la vérité ? » (*ibid.*, chap. 3) Le langage humain est fragile et imparfait ; le verbe de Dieu, quant à lui, crée le monde et exprime tout, en même temps et éternellement. Il est immortel et ne se laisse pas partager. Le langage des hommes, en revanche, n'exprime pas tout ce qu'il contient ; il n'est que la trace de la parole de Dieu, trace qui indique l'empreinte d'une présence et qui, dans le même temps, en souligne l'absence. Par sa successivité, par sa discursivité, le langage humain marque son insuffisance. Il se situe dans un entre-deux entre une vérité qui est à la fois signifiée et retirée. La question du temps manifeste de façon exemplaire cette frontière qui sépare ce qui est dicible et ce qui est su. Il y a bien une réalité du temps lorsque celui-ci est parlé mais cette réalité elle-même ne s'expose pas. Le temps ne se parle pas car, pour le parler, il faut une succession ; il faut déjà du temps en somme. Le temps renvoie au langage et le langage renvoie au temps. Nous sommes prisonniers des contradictions en boucle du temps.

La question du temps s'impose à nous sous la forme de la succession, de la simultanéité ou de la permanence, mais nous ne savons pas la résoudre. La question de l'être est liée au temps. La vérité elle-même dans son éternité ou dans son processus de création et de destruction n'échappe pas au temps. Liberté, morale, religion sont aussi affaires de temps qui est partout : « Et je vous le confesse, Seigneur, j'ignore encore ce que c'est que le temps ; et pourtant, Seigneur, je vous le confesse aussi, je n'ignore point que c'est dans le temps que je parle, et qu'il y a déjà longtemps que je parle du temps, et que ce longtemps est une certaine teneur de durée. Eh ! comment donc puis-je le savoir, ignorant ce que c'est que le temps ? Ne serait-ce point que je ne sais peut-être comment exprimer ce que je sais ? Malheureux que je suis, j'ignore même ce que j'ignore ! Mais vous êtes témoin, Seigneur, que le mensonge est loin de moi. Mon cœur est comme ma parole. « Allumez ma lampe, Seigneur mon Dieu, éclairez mes ténèbres (Ps. XVII, 25) » (*ibid.*, chap. 25).

L'enquête d'Augustin le conduit logiquement à la question de la mesure du temps. Cette mesure du présent (pour combien de temps le temps est-il présent ?) n'est possible que si l'on a conscience d'un intervalle avec le passé et l'avenir qui doivent bien exister au présent puisqu'on peut les concevoir. Le temps est au présent et pourtant il faut un passé et un avenir pour qu'il puisse y avoir quelque chose comme le temps ! Comment dès lors faire pour mesurer ce qui n'est plus et ce qui n'existe pas encore ? Comment mesurer un présent qui ne dure pas ? Augustin répond avec brio : il existe un présent du passé qui est la mémoire ; il existe un présent du futur qui est l'attente ; il existe un présent du présent qui est l'intuition : « Mais qu'est-ce donc que la diminution ou l'épuisement de l'avenir qui n'est pas encore ? Qu'est-ce que l'accroissement du passé qui n'est plus, si ce n'est que dans l'esprit, où cet effet s'opère, il se rencontre trois termes l'attente, l'attention et le souvenir ? L'objet de l'attente passe par l'attention, pour tourner en souvenir. L'avenir n'est pas encore ; qui le nie ? et pourtant son attente est déjà dans notre esprit. Le passé n'est plus, qui en doute ? et pourtant son souvenir est encore dans notre esprit. Le présent est sans étendue, il n'est qu'un point fugitif ; qui l'ignore ? et pourtant l'attention est durable ; elle par qui doit passer ce qui court à l'absence : ainsi, ce n'est pas le temps à venir, le temps absent ; ce n'est pas le temps passé, le temps évanoui qui est long ; un long avenir, c'est une longue attente de l'avenir ; un long passé, c'est un long souvenir du passé » (*ibid.*, chap. 28). Le temps est constitué par la capacité de l'âme à se souvenir du passé (la *retentio*), à percevoir le présent (l'*attentio*) et à anticiper le futur (la *protentio*). Grâce à ces activités, l'âme est en mesure de rendre présents les moments du passé et du futur et de résoudre le problème du caractère insaisissable du temps. Augustin tente d'expliquer les différentes dimensions du temps (raccourcis, longueurs...). Pour cela, il met en avant la capacité de l'âme à se distendre : « Toutefois, ce n'est pas encore là une mesure certaine du temps ; car un vers plus court prononcé lentement peut avoir plus de durée qu'un long débité plus vite ; ainsi d'un poème, d'un pied, d'une syllabe. D'où j'infère que le temps n'est qu'une étendue. Mais quelle est la substance de cette étendue ? Je l'ignore. Et ne serait-ce pas mon esprit même ? Car, ô mon Dieu ! qu'est-ce que je mesure, quand je dis indéfiniment : tel temps est plus long que tel autre ; ou définiment ce temps est double de celui-là ? C'est bien le temps que je mesure, j'en suis certain ; mais ce n'est point l'avenir, qui n'est pas encore ; ce n'est point le présent, qui est inétendu ; ce n'est point le passé, qui n'est plus. Qu'est-ce donc que je mesure ? Je l'ai dit ; ce n'est point le temps passé, c'est le passage du temps » (*ibid.*, chap. 26). L'âme élastique (*distentio animi*) est le lieu dans et par lequel s'effectue le mouvement du temps qui vient de l'avenir, va vers le passé en passant par le présent. Le temps, pour Augustin, est « une espèce de distension de l'âme » dans laquelle se résout le problème posé.

Une conception pessimiste de la nature humaine

Augustin développe par ailleurs une réflexion pessimiste sur la nature humaine. Même converti, le danger pour l'homme reste grand. Selon Augustin en effet, la nature humaine est corrompue par le péché originel et elle est encline au mal. L'être humain ne peut accéder au salut que par ses mérites personnels ou ses bonnes œuvres. Seule une grâce divine peut le sauver.

Augustin réagit ainsi fortement aux idées très répandues dans le monde aristocratique romain de Pélage, un penseur ascétique chrétien d'origine britannique. Les pélagiens pensaient en effet que la nature humaine était bonne et que chaque homme pouvait parvenir à la perfection morale en accomplissant la loi divine et qu'il serait récompensé de ses mérites (ou punit de ses fautes) dans une vie future. Exaltant la vertu individuelle, le pélagianisme faisait écho au stoïcisme très prisé en Occident et eut du succès jusque dans les milieux monastiques.

Augustin dénonce ces idées et condamne l'illusion d'une nature humaine bonne. Selon lui, les idées de Pélage nient le péché originel, nient notre disposition au mal et font peu de cas de la nécessité du salut par le Christ. Les pélagiens font preuve d'orgueil en pensant pouvoir devenir parfaits par leurs propres œuvres. Augustin, quant à lui, prétend défendre l'essence même du christianisme et, radicalisant sa pensée à la fin de sa vie, estime que seule une communauté restreinte d'élus choisis par la grâce divine peut connaître le salut. Ces prédestinés échappent ainsi à la masse pécheresse.

Dans un autre livre majeur, *La Cité de Dieu*, Augustin précise certaines de ses idées et signe ainsi un ouvrage radical. Entre 413 et 426, Augustin, qui vit avec angoisse les invasions barbares (celles des Vandales), rédige en effet son livresomme. Il y déploie une réflexion magistrale sur le destin de l'humanité. La « cité de Dieu », c'est la communauté des élus qui, prise dans le cours de l'histoire, n'adviendra qu'à la fin des temps. Pour l'heure, aucun Etat, même l'Empire romain qui se proclame chrétien, ne peut se dire la « cité de Dieu ». Aucun n'en possède le caractère sacré. Cette communauté des élus n'est pas même incarnée par l'Eglise chrétienne, terrestre et visible.

Augustin n'est pas toutefois qu'un homme d'idées ; en tant qu'évêque, il est aussi homme d'action. Or, son époque est marquée par plusieurs hérésies comme le donatisme. Augustin lutte contre l'Eglise donatiste qui domine une partie des régions d'Afrique du Nord depuis le IVe siècle. Depuis la Numidie où ils sont installés, les donatistes accusent en effet les évêques catholiques d'avoir faibli lors de la persécution de Dioclétien. Ils prétendent constituer l'Eglise authentique et organisent des jacqueries qui déstabilisent les autorités en place. Les donatistes en outre rebaptisent les chrétiens des autres églises qui adhèrent à leurs idées et à leur communauté. Augustin, inquiet de leur emprise et de leur développement, accepte l'idée d'une répression contre les donatistes mais ces schismes affaiblissent durablement l'Eglise d'Afrique.

Le rôle central de la prédestination

La foi, chez Augustin, précède la compréhension mais la foi cherche aussi la compréhension, en est une condition indispensable. Augustin pense que tout ce qui obéit aux règles de la logique est d'abord humain et que ce qui est divin se situe au-delà de l'ordre humain, transcende notre logique et n'est pas réductible à elle. Quel est donc le signe du divin lorsqu'on essaie de le penser ? L'échec justement de la démarche logique. Le divin ne peut être pensé qu'à travers les contradictions. « Je crois pour comprendre », dit Augustin. Et qu'est-qui exige plus que tout d'être compris sinon Dieu. La pensé rationnelle, celle qui s'exerce par exemple à comprendre le temps, aide la foi et ne la supprime pas. Rien n'est au-dessus de Dieu; rien n'est extérieur à Dieu ; rien n'existe sans Dieu. C'est d'abord cela qu'Augustin veut établir, avant même de parler de la bonté ou de la sagesse de Dieu. Notre langage échoue à dire ce qu'est Dieu ; on ne peut que dire ce que Dieu n'est pas. Augustin affirme ainsi sa conception de la divinité qui va à l'encontre des principales hérésies comme l'arianisme.

Le pas décisif qu'il franchit concerne la nature de l'âme qui n'est plus ici une matière fluide mais qui appartient à une réalité d'un autre ordre que la matière. Elle est immortelle car elle est une réalité du même ordre que la vérité. Dieu est dans l'âme selon Augustin. Dieu est plus intérieur en moi que tout ce qu'il y a de plus intérieur en moi. Mieux, Dieu sait tout d'avance : cette prescience divine est encore abus de langage car pour Dieu il s'agit d'un savoir éternel. Mais alors, comment expliquer qu'il existe une liberté de l'âme ? Augustin répond à cette question cruciale par la prédestination : « Ecoutons maintenant l'apôtre saint Paul : "Béni soit Dieu, le Père de Notre-Seigneur Jésus-Christ, qui nous a comblés en Jésus-Christ de toutes sortes de bénédictions spirituelles pour le ciel, ainsi qu'il nous élus en lui avant la création du monde par l'amour qu'il nous a porté, afin que nous fussions saints et irrépréhensibles devant ses yeux. Il nous a prédestinés par un effet de sa bonne volonté, pour nous rendre ses enfants adoptifs par Jésus-Christ, afin que la louange et la gloire en soit donnée à sa grâce, par laquelle il nous a rendus agréables à ses yeux en son Fils bien-aimé, dans lequel nous trouvons la rédemption en son sang et la rémission de nos péchés, selon les richesses de sa grâce, qu'il a répandue sur nous avec abondance en nous remplissant d'intelligence et de sagesse, pour nous faire connaître le mystère de sa volonté, fondé sur sa bienveillance, par laquelle il avait résolu en lui-même que les temps qu'il avait ordonnés étant accomplis, il réunirait tout en Jésus-Christ, tant ce qui est dans le ciel que ce qui est sur la terre. C'est aussi en lui que la vocation nous est échue comme par sort, ayant été, prédestinés par le décret de celui qui fait toutes choses selon, le dessein et le conseil de sa volonté, afin que nous fussions pour sa louange et pour sa gloire". Devant un langage aussi formel, peut-on douter encore de la vérité que nous soutenons ? Dieu a choisi en Jésus-Christ les membres de ce même Jésus-Christ dès avant la formation du monde ; comment donc a-t-il choisi des hommes qui n'existaient pas encore, si de n'est par la prédestination elle-même ? Il nous a choisis en nous prédestinant. Choisirait-il les impies et les impudiques ? Qu'on demande quels sont ceux que Dieu choisit, les impies ou les saints et les justes ; la réponse se ferait-elle attendre, et n'affirmerait-on pas sur-le-champ que l'élection divine est tombée sur les saints et les justes ? Chacun de nous est d'avance désigné par Dieu pour la grâce ou, au contraire, pour la damnation » (*De la prédestination des saints*, chap. 18).

La prédestination est l'acte par lequel Dieu décide éternellement le salut de ceux qui seront sauvés. Le juste a besoin d'une grâce spéciale pour persévérer et Dieu accorde cette grâce, qui est un don gratuit, à qui Il veut. La non-prédestination de certains n'est pas arbitraire : elle a en Dieu des raisons que nous ignorons et que ne nous connaîtrons que dans la vie future. Le mystère de la prédestination est ainsi celui de notre élection éternelle en Jésus-Christ.

On peut voir là un des points d'aboutissement de la réflexion conjointe d'Augustin sur le temps et l'éternité car si l'éternité est, le temps n'est pas et, si l'éternité n'est pas, le temps n'est pas non plus : « Maintenant ″mes années s'écoulent dans les gémissements″ (Ps. XXX, II), et vous, ô ma consolation, ô Seigneur, ô mon Père ! vous êtes éternel. Et moi je suis devenu la proie des temps, dont l'ordre m'est inconnu ; et ils m'ont partagé ; et les tourmentes de la vicissitude déchirent mes pensées, ces entrailles de mon âme, tant que le jour n'est pas venu où, purifié de mes souillures et fondu au feu de votre amour, je m'écoulerai tout en vous. » (*Les Confessions*, livre XI, chap. 29). Pour Dieu, le temps se trouve aboli et, en opposition à l'éternité divine, le temps est le mode d'être propre à la créature ainsi que le signe de sa contingence. Dieu est dans l'éternité ; le monde, quant à lui, est dans le temps.

CONCLUSION

L'œuvre d'Augustin a connu un rayonnement immense et son retentissement a dépassé rapidement le cadre de l'Afrique du Nord en raison des intenses échanges culturels de part et d'autre des rives de la Méditerranée. Mais c'est surtout l'élite cultivée de l'Afrique romaine, au sein de laquelle Augustin a grandi, qui va la première s'intéresser fortement à ceux-ci. De Carthage à l'Europe, la pensée d'Augustin rayonne rapidement grâce aux nombreuses éditions et commentaires qu'elle suscite. L'Italie, l'Espagne et la Gaule relaient elles aussi ses idées théologiques et spirituelles dont l'originalité est amplifiée par une langue riche et puissante.

La tradition augustinienne a été réactivée au XVIe siècle grâce aux controverses religieuses qui opposent Luther et Calvin à l'Eglise catholique qu'ils accusent d'être pélagienne. Pour eux, comme pour Augustin, l'homme n'est justifié que par la grâce et la foi, et non par ses œuvres. Le protestantisme est, dans cette mesure, un retour à Augustin et à sa doctrine de la prédestination. Leurs adversaires catholiques eux aussi se sont inspirés de certaines idées de l'évêque d'Hippone en essayant toutefois de donner une valeur positive aux œuvres humaines. Autorité certaine, Augustin est aussi au centre de la réflexion théologique en France au XVIIe siècle, notamment chez les Jansénistes et chez Pascal. La menace qu'a représenté ce regain d'intérêt pour l'augustinisme explique par exemple la destruction en 1710 du monastère de Port-Royal, foyer de sédition, selon Louis XIV, contre la papauté.

L'augustinisme a connu ensuite plusieurs éclipses en relation avec le déclin de la pensée théologique depuis l'Age des Lumières. Le rigorisme moral contenu dans cette doctrine a été battu en brèche par une pensée nouvelle pour laquelle l'idée d'une nature humaine corrompue était choquante. Rousseau défendait, quant à lui, l'idée d'une corruption par la seule société.

Pourtant, les écrits d'Augustin ont continué d'inspirer plusieurs recherches philosophiques. *Les Confessions* contiennent en effet maintes analyses sur les forces intérieures et obscures de l'esprit humain qui devancent la théorie du subconscient freudienne. Il est surtout à l'origine d'une magnifique et substantielle réflexion sur la mémoire et le temps humains qui irrigue toute la pensée d'un philosophe comme Paul Ricœur. Il ne saurait donc être question de juger dépassée la manière de penser d'un Augustin. Cette pensée en effet ne livre son sens qu'à celui qui accepte de la reproduite existentiellement. Elle a du sens pour le croyant mais le non-croyant peut aussi, pour la saisir, imiter intérieurement l'attitude qui en est au principe et ainsi en découvrir toute la richesse.

PRINCIPAUX
OUVRAGES

Par ordre de composition présumée

Les Confessions, 397-398.

De la trinité, 400-416.

La Cité de Dieu, 410-426.

Quelques commentaires

Gilson (Étienne), *Introduction à l'étude de Saint Augustin*, Paris, Vrin, coll. « Études de philosophie médiévale », 1982.

Madec (Goulven), *Le Dieu d'Augustin*, Paris, Cerf, 1998.

Lancel (Serge), *Saint Augustin*, Paris, Fayard, 1999.

Marrou (Henri-Irénée), *Saint Augustin et l'augustinisme*, Paris, Le Seuil, 2003 (1955).

Ricœur (Paul), *Temps et récit* (Tome 1 : *L'Intrigue et le récit historique*. Tome II : *La Configuration dans le récit de fiction*. Tome III : *Le Temps raconté*), Paris, Le Seuil, 1983, 1984, 1985.

LA CITATION

« L'échec majeur de la théorie augustinienne est de n'avoir pas réussi à substituer une conception psychologique du temps à une conception cosmologique, en dépit de l'irrécusable progrès que représente cette psychologie par rapport à toute cosmologie du temps. L'aporie consiste précisément en ce que la psychologie s'ajoute légitimement à la cosmologie, mais sans pouvoir la déplacer et sans que ni l'une ni l'autre, prise séparément, ne propose une solution satisfaisante à leur insupportable dissentiment. Augustin n'a pas réfuté la théorie d'Aristote, celle de la priorité du mouvement sur le temps, s'il a apporté une solution durable au problème laissé en suspens par l'aristotélisme, celui du rapport entre l'âme et le temps. Or, à l'arrière d'Aristote, se profile toute une tradition cosmologique, selon laquelle le temps nous circonscrit, nous enveloppe et nous domine, sans que l'âme ait la puissance de l'engendre. Ma conviction est que la dialectique entre l'*intentio* et la *distentio animi* est impuissante à engendrer à elle seule ce caractère impérieux du temps ; et que, paradoxalement, elle contribue même à l'occulter. Le moment précis de l'échec est celui où Augustin entreprend de dériver de la seule distension de l'esprit le principe même de l'extension et de la mesure du temps. A cet égard, il faut rendre hommage à Augustin de n'avoir jamais vacillé dans la conviction que la mesure est une propriété authentique du temps et de n'avoir pas donné gage à ce que deviendra plus tard la doctrine majeure de Bergson, dans l'*Essai sur les données immédiates de la conscience*, à savoir la thèse selon laquelle c'est par une étrange et incompréhensible contamination du temps par l'espace que le premier devient mesurable. Pour Augustin, la division du temps en jours et en années, ainsi que la capacité, familière à tout rhétoricien antique, de comparer entre elles syllabes longues et brèves, désignent les propriétés du temps lui-même. La *distensio animi* est la possibilité même de mesure du temps. En conséquence, la réfutation de la thèse cosmologique est loin de former une digression dans l'argumentation serrée d'Augustin. Elle en constitue un chaînon indispensable [...]. Il était dès lors condamné à tenir l'impossible pari de trouver dans l'attente et dans le souvenir le principe de leur propre mesure : ainsi faut-il dire selon lui que l'*attente* se raccourcit quand les choses attendues se rapprochent et que le *souvenir* s'allonge quand les choses remémorées s'éloignent, et que, quand je récite un poème, le transit par le présent fait que le passé s'accroît de la quantité dont le futur se trouve diminué. Il faut se demander alors avec Augustin ce qui augmente et *ce qui* diminue, et quelle unité *fixe* permet de comparer entre elles des durées variables. Malheureusement, la difficulté de comparer entre elles des durées successives est seulement reculée d'un degré : on ne voit pas quel accès *direct* on peut avoir à ces *impressions* supposées demeurer dans l'esprit, ni surtout comment elles pourraient fournir la mesure fixe de comparaison que l'on s'interdit de demander au mouvement des astres. » (*Temps et récit*, III, chap. 1)

DANS LA MÊME COLLECTION
(par ordre alphabétique)

- **Claude Le Manchec**, *Anaximandre*
- **Claude Le Manchec**, *Arendt*
- **Claude Le Manchec**, *Aristote*
- **Claude Le Manchec**, *Averroès*
- **Claude Le Manchec**, *Bachelard*
- **Claude Le Manchec**, *Bergson*
- **Claude Le Manchec**, *Beauvoir*
- **Claude Le Manchec**, *Berkeley*
- **Claude Le Manchec**, *Cicéron*
- **Claude Le Manchec**, *Condillac*
- **Claude Le Manchec**, *Deleuze*
- **Claude Le Manchec**, *Démocrite*
- **Claude Le Manchec**, *Descartes*
- **Claude Le Manchec**, *Diderot*
- **Claude Le Manchec**, *Durkheim*
- **Claude Le Manchec**, *Empédocle*
- **Claude Le Manchec**, *Épicure*
- **Claude Le Manchec**, *Foucault*
- **Claude Le Manchec**, *Freud*
- **Claude Le Manchec**, *Hegel*
- **Claude Le Manchec**, *Heidegger*
- **Claude Le Manchec**, *Héraclite*
- **Claude Le Manchec**, *Hobbes*
- **Claude Le Manchec**, *Hume*
- **Claude Le Manchec**, *Husserl*
- **Claude Le Manchec**, *Kant*
- **Claude Le Manchec**, *Kierkegaard*
- **Claude Le Manchec**, *Leibniz*

- **Claude Le Manchec,** *Levinas*
- **Claude Le Manchec,** *Lucrèce*
- **Claude Le Manchec,** *Machiavel*
- **Claude Le Manchec,** *Malebranche*
- **Claude Le Manchec,** *Marc Aurèle*
- **Claude Le Manchec,** *Marx*
- **Claude Le Manchec,** *Montaigne*
- **Claude Le Manchec,** *Montesquieu*
- **Claude Le Manchec,** *Nietzsche*
- **Claude Le Manchec,** *Pascal*
- **Claude Le Manchec,** *Platon*
- **Claude Le Manchec,** *Rousseau*
- **Claude Le Manchec,** *Russell*
- **Claude Le Manchec,** *Saint Thomas*
- **Claude Le Manchec,** *Sartre*
- **Claude Le Manchec,** *Schopenhauer*
- **Claude Le Manchec,** *Sénèque*
- **Claude Le Manchec,** *Spinoza*
- **Claude Le Manchec,** *Tocqueville*
- **Claude Le Manchec,** *Wittgenstein*